CARCASSI

25 STUDI MELODICI E PROGRESSIVI

Op. 60

PER CHITARRA

Revisione e diteggiatura di Guido Margaria

25 MELODIC AND
PROGRESSIVE STUDIES
Op. 60
for Guitar

25 MELODISCHE UND
FORTSCHREITENDE ETÜDEN
Op. 60
für Gitarre

RICORDI

E.R. 2735

PREFAZIONE

I *25 Studi melodici e progressivi* op. 60 di Matteo Carcassi (Firenze 1792 - Parigi 1853) costituiscono un'opera di notevole interesse tecnico e musicale, costruita su un semplice svolgimento armonico, sorretta da un salutare ottimismo volto a risolvere problemi reali dello strumento.

Data la varietà degli aspetti strumentali trattata dall'autore e l'intenzione di risolverli, nella presente revisione, sempre in modo diverso, l'opera non si indirizza soltanto a studenti che si preparano a uno studio sistematico della chitarra, ma anche a coloro che nei primi anni di un corso normale desiderano approfondire i primi concreti problemi dello strumento.

Le diteggiature sono soltanto consigliate ed è pertanto possibile ogni altra soluzione che abbia un fine logico: ho cercato di esporre alcuni diversi sistemi di diteggiatura che ritengo validi.

È stato affrontato, credo per la prima volta, il problema dell'indicazione delle smorzature effettuate con il pollice della mano destra, pratica molto diffusa ma non ancora codificata, proponendo di segnare con un numero in un rombo quello relativo alla corda su cui appoggeremo il pollice senza suonarla.
Es.

PREFACE

The 25 Melodic and Progressive Studies op. 60 by Matteo Carcassi (b. Florence 1792 - Paris 1853) form a work of noteworthy musical and technical interest, based upon a simple harmonic development and sustained by a healthy optimism concerning the solution of practical instrumental problems.

Given the variety of instrumental problems dealt with by the author and his intention of showing numerous ways of solving them, the work, in this revised edition, is equally suitable of the student making a systematic study of the guitar and for those who wish to explore the first principles of guitar technique during the early years of a more general course.

The fingerings are only intended as suggestions and any others which may be found appropriate are therefore admissible; in some cases I have given alternatives which I hold to be equally good.

The problem of how to indicate the damping of the strings by the thumb of the right hand has, I believe, here been met for the first time; it is a common enough practice which hitherto has remained uncodified and it is here proposed to indicate by means of a number in a lozenge the string on which the thumb is to be placed without sounding it.
E.g.

VORWORT

Die *25 Melodischen Studien fortschreitenden Schwierigkeitsgrades* op. 60 von Matteo Carcassi (Florenz 1792 - Paris 1853) stellen ein Werk von beträchtlichem technischen und musikalischen Interesse dar, das auf dem Fundament einer unkomplizierten und normalen Harmonik aufgebaut ist, und das getragen wird von einem gesunden Optimismus im Hinblick auf die Lösung der wirklichen Probleme des Instrumentes.

Ausgehend von den vielfältigen instrumentalen Aspekten, die von Grund auf behandelt werden, und in der Absicht, mit der vorliegenden revidierten Fassung auf immer wieder andere Art zu ihrer Bewältigung beizutragen, wendet sich das Werk nicht nur an Studierende, die sich auf eine systematische Beschäftigung mit der Gitarre vorbereiten, sondern auch an diejenigen, die in den ersten Jahren eines Normalkursus den Wunsch haben, sich mit bestimmten Grundproblemen des Instrumentes eingehender zu befassen.

Die angegebenen Fingersätze sind nur als Ratschläge zu betrachten, sodaß auch jede andere Lösung möglich ist, sofern sie zu einem vernünftigen Resultat führt. Ich meinerseits habe versucht, einige verschiedenartige Systeme von Fingersätzen aufzustellen, die mir zweckmäßig erscheinen.

Erstmals, wie ich glaube, ist das Problem angegangen worden, eine Bezeichnung für die Dämpfungen zu finden, die mit dem Daumen der rechten Hand ausgeführt werden, eine Praxis, die weit verbreitet aber noch nicht kodifiziert ist. Mein Vorschlag dazu ist die Bezeichnung durch eine Ziffer in einem Rhombus, der auf die Saite bezogen ist, auf die der Daumen aufgelegt wird, ohne sie anzuspielen.
Beispiel:

Nello stesso istante in cui si suona la nota *si*, si interrompe la vibrazione del *do* grave.

At the same moment as the B is sounded, the vibration of Middle C is cut off.

Im gleichen Augenblick, in dem die Note *h* angespielt wird, wird die Schwingung des tiefen *c* unterbrochen.

La pratica del pollice appoggiato è particolarmente utile per lo studio delle scale, per l'esecuzione di arpeggi in cui indice, medio e anulare non lavorino 'appoggiati' e per lo studio di quei passaggi difficili che provocano movimenti involontari della mano.

Ho indicato diverse velocità di metronomo per facilitare lo studio del brano anche all'inizio, durante le prime letture: non sempre la velocità corrispondente all'indicazione di tempo più elevata è quella che si richiede per una corretta esecuzione del brano, ma è sempre quella che indica, anche all'allievo più dotato, il limite al di là del quale la bravura non ha più senso. Una esecuzione chiara ed espressiva vale molto di più di uno sforzo al limite delle proprie possibilità.

Si cerchi di studiare quest'opera senza badare troppo al 'bel suono'; so che può sembrare strano, ma a volte il suono rotondo inganna l'esecutore non ancora esperto, non abituato cioè a far dipendere la bellezza del suono dalla rilassatezza e dalla precisione dei movimenti, dall'equilibrio armonico che si risveglia.

Si cerchi invece di non distrarre l'attenzione dello sguardo ai movimenti della mano sulla tastiera, di anticipare l'esecuzione con la mente e di collocare, con l'aiuto dell'insegnante, ogni nota nel discorso musicale.

G. M.

Damping by the thumb is particularly useful in the study of scales; for the execution of arpeggios in which the index, middle and fourth fingers are not available for this purpose; and for the study of those difficult passages which cause involuntary movements of the hand.

I have given different metronome markings to facilitate the study of a passage from the very first practice: hence, it is not always the fastest tempo indication which shows the ideal speed for the correct execution of the passage; but even the most gifted pupil should not go beyond the fastest tempo marking, for then bravura ceases to make sense. A clear and expressive rendering is worth far more than straining to reach a higher speed.

These pieces are designed to be studied without too much striving after beauty of tone, which may seem a strange piece of advice, but the effort of achieving such fulness of tone can sometimes distract the inexpert player who is not accustomed to achieve beauty of tone through relaxation and precision of movement and the harmonic equilibrium thereby produced. On the contrary, the player's attention should not be allowed to stray from the movement of the hand on the fingerboard and he should seek mentally to anticipate each note to be played and, with the aid of the teacher, to understand its relevance in the musical scheme.

G. M.

Die Praxis des aufgelegten Daumens ist besonders nützlich für das Studium von Tonleitern, für die Ausführung von Arpeggien, bei denen Mittelfinger und Ringfinger nicht « gestützt » tätig sind, und für das Studium solcher schwieriger Passagen, die unwillkürliche Bewegungen der Hand hervorrufen.

Hinsichtlich des Metronoms habe ich verschiedene Schnelligkeitsgrade angegeben, um das Studium des Stückes auch zu Anfang beim ersten Lesen zu erleichtern. Nicht immer ist die Schnelligkeit, die der höheren Tempobezeichnung entspricht, zugleich auch die, welche für eine korrekte Ausführung des Stückes zu verlangen ist. Doch in jedem Falle zeigt sie auch dem begabteren Schüler die Grenze an, über die hinaus die Virtuosität keinen Sinn mehr hat. Eine deutliche und ausdrucksvolle Wiedergabe ist sehr viel mehr wert als eine Gewaltleistung bis an die Grenze der eigenen Möglichkeit.

Man gehe an das Studium dieses Werkes heran, ohne allzusehr auf schönen Klang zu achten. Ich weiß wohl, daß dies befremdlich scheinen mag, doch manchmal täuscht der füllige Klang den noch nicht so erfahrenen Spieler, der nicht gewohnt ist, Klangschönheit als das Ergebnis von Gelöstheit zu betrachten, über die Genauigkeit der Tempi und über die Ausgeglichenheit des Vortrags, worauf doch vor allem zu achten wäre. Dagegen versuche man, die volle Aufmerksamkeit dem Blick auf die Bewegungen der Hand am Griffbrett zuzuwenden, sowie die Ausführung dieser Bewegungen im Kopf vorauszuvollziehen und, unter Anleitung des Lehrers, jede Note des musikalischen Verlaufs exakt wiederzugeben.

G. M.

ANNOTAZIONI

1) Studio sulle scale, tonalità do maggiore.

Le scale di questo studio si prestano ad essere suonate alternando *a* e *i*, ferma rimanendo ogni altra possibile soluzione.

L'uso del pollice per arrestare le vibrazioni dei bassi, illustrato nella prefazione, è di apparente difficoltà e insegna una pratica che dovrà in seguito divenire abituale.

Quando la smorzatura del basso non è indicata, sarà sufficiente eseguire 'appoggiando' la nota sottostante.

2) Studio sull'arpeggio e sulle note ribattute, tonalità la minore.

L'arpeggio può essere eseguito appoggiando e non appoggiando: in questo secondo caso però sarà di grande utilità appoggiare i bassi con il pollice, che si arresterà sulla corda sottostante (a quella suonata) per favorire il mantenimento del polso interno e della immobilità della mano. Ciò permette un continuo rilassamento dei tensori laterali della mano, cioè di quei muscoli normalmente impegnati in attività statiche come il mantenimento di una stretta ecc.; chi ha il pollice 'diritto' potrà appoggiare soltanto con il polpastrello, senza temere che questa abitudine, così difficile all'inizio, comprometta quel che già sa fare.

3) Studio sull'arpeggio, tonalità la maggiore.

È un piacevole studio di espressione, con una melodia cantabile che richiede di essere appoggiata. Servendosi dei criteri esposti negli esercizi 1) e 2), lo studente potrà indicare dove è possibile appoggiarsi con il pollice.

4) Studio sui suoni legati, tonalità re maggiore.

Da eseguirsi appoggiando e non appoggiando (in questo secondo caso è quasi obbligatorio appoggiare il pollice della mano destra).

Il dito della mano sinistra che esegue la legatura *deve* arrestarsi sulla corda sottostante nella maggior

NOTES

1) Study in C major: scales.

The scales in this study lend themselves to being played by alternating the fourth and index fingers without in the least excluding other viable fingerings. The use of the thumb to stop the vibration of the bass strings, illustrated in the preface, may at first seem difficult but inculcates a technique which should become instinctive. When the damping of the bass strings is not indicated, it will be sufficient to touch the lower note lightly.

2) Study in A minor: arpeggios and repeated notes.

Arpeggios can be played damped and undamped; in the latter case, however, it is highly desirable to stop the bass by the thumb pausing on the string immediately below the one being played, in order to help maintain the internal wrist and to keep the hand steady. This allows the continuous relaxation of the lateral tensors of the hand, i.e. those muscles normally engaged in holding the hand in a fixed position such as a squeeze etc. Having learned to keep the thumb rigid you will be able to stop with the tip only, without risk that this habit (so difficult to acquire) will adversely affect what you can already do.

3) Study in A major: arpeggios.

This is a pleasing study in expression, with a cantabile melody that calls for damping. Using the principles shown in exercises 1 and 2, the student will be able to tell where it is possible to do so with the thumb.

4) Study in D major: legato.

This can be played with or without damping; in the latter case it is almost obligatory to stop with the thumb of the right hand. The left hand finger executing the legato must almost always rest on the string below, except when this would stop the vibration of a string. In this way

ANMERKUNGEN

1.) Studie über Tonleitern. Tonart C-Dur.

Die Tonleitern dieser Studie eignen sich dazu, im Wechsel zwischen *a* und *i* gespielt zu werden, wobei jede andere mögliche Lösung bestehen bleibt.

Der im Vorwort erläuterte Gebrauch des Daumens, um die Schwingungen der Baß-Saiten zu beenden, bereitet nur scheinbar Schwierigkeiten und leitet zu einer Praxis an, die später zur Gewohnheit werden soll. Wenn die Dämpfung des Basses nicht angegeben ist, wird es genügen, die untere Note « stützend » auszuführen.

2.) Studie über das Arpeggio and über Tonwiederholungen. Tonart a-Moll.

Das Arpeggio kann mit oder ohne Stütze ausgeführt werden. In diesem letzteren Falle wird es jedoch sehr nützlich sein, immerhin die Bässe mit dem Daumen zu stützen, der auf der Saite unter derjenigen, die angespielt wird, stehen bleibt, um die Aufrechthaltung des inneren Handgelenks und die Unbeweglichkeit der Hand zu gewährleisten. Dies gestattet eine kontinuierliche Lockerung der seitlichen Verspannungen der Hand, d.h. jener Muskeln, die normalerweise in einer ruhenden Aktivität gebunden sind wie bei der Aufrechterhaltung eines Druckes u.s.w. Wer den Daumen « aufgerichtet » hält, kann nur mit der Fingerkuppe stützen, ohne fürchten zu müssen, daß dieses im Anfang so schwierige Verfahren das gefährde, was man schon kann.

3.) Studie über das Arpeggio. Tonart A-Dur.

Dies ist eine gefällige Ausdrucks-Studie mit einer gesangvollen Melodie, die gestützt zu werden verlangt. Unter Anwendung der bei den Übungen 1 und 2 ausgeführten Richtlinien wird der Studierende angeben können, wo es möglich ist, mit dem Daumen zu stützen.

4.) Studie über gebundene Töne. Tonart D-Dur.

Auszuführen mit und ohne Stütze (in diesem letzteren Falle ist es fast unerläßlich, den Daumen der rechten Hand aufzustützen).

Der Finger der linken Hand, der die Ligaturen ausführt, *muß* in der Mehrzahl der Fälle auf der unteren Saite stehen bleiben, außer wenn er die Vibration einer Saite aufzuhalten

parte dei casi, tranne quando arresterebbe la vibrazione di una corda: si acquisisce così maggior precisione e potenza sonora.

5) Studio sugli intervalli, tonalità sol maggiore.

È consigliabile differire questo studio affiancandolo agli ultimi del volume. Alcuni rapidi cambiamenti di posizione richiedono scioltezza, precisione e buona dilatazione che si acquisiscono in seguito.

Si cerchi di analizzare i movimenti della mano sinistra riducendoli all'indispensabile.

6) Studio melodico, tonalità do maggiore.

La parte superiore si presenta, in una prima esposizione, in modo molto scarno e solo apparentemente costituisce un cantabile; ogni volta che questa formula è ripetuta sarà bene 'legare' molto l'espressione dei bassi mantenendoli in equilibrio con le note acute che completano e definiscono l'armonia.

La seconda formula è invece opposta alla precedente, con uno svolgimento di scala cantabile nella parte superiore accompagnata da un basso.

7) Studio sulle legature, tonalità mi maggiore.

Vedi precedente studio n. 4).

8) Studio sulle scale e sui suoni legati, tonalità la maggiore.

Questo studio di 'semplice' concezione, richiede una certa applicazione per facilitare una buona scorrevolezza di fraseggio nei cambiamenti di posizione.

9) Studio sul tremolo e sull'arpeggio, tonalità la minore.

Il brano ha un certo interesse musicale e merita di essere imparato a memoria. Si cerchi di realizzare correttamente la cantabilità dei bassi e di eseguire il tremolo scandendolo chiaramente: una buona diteggiatura del tremolo, a scopo di studio, è p, m, a, i: seguendo questa indicazione si faranno lavorare dita distanti fra di loro, mentre la diteggiatura normale, p, a, m, i richiede una mano già molto equilibrata.

10) Studio sulle legature, tonalità re maggiore.

Vedi precedente studio n. 4).

Lo studio tratta il problema delle le-

the student will acquire more precision and greater fullness of tone.

5) Study in G major: intervals.
It is advisable to postpone this study in order to link it with the last ones in this volume. Some rapid changes of position demand agility, precision and a good stretch, which will be acquired in due course. The student should endeavour to analyse the movements of the left hand in order to reduce them to the absolute minimum.

6) Study in C major: melody.
In the opening phrases the upper part, which is sparsely written, only apparently constitutes a cantabile melody on its own. Each time this section returns, the bass accompaniment should be played molto legato, whilst maintaining a balance with those high notes which complete and define the harmony. The second section is in complete contrast to the first, with a development of a cantabile scale in the upper part accompanied in the bass.

7) Study in E major: slurs.
See Study no. 4.

8) Study in A major: legato and scales.
This piece, 'semplice' in style, requires close attention to achieve the desired degree of fluency of phrasing whilst changing positions.

9) Study in A minor; tremolo and arpeggios.
This piece has enough musical interest to warrant its being learnt by heart. The object of the exercise is proper cantabile playing in the bass and a clearly articulated tremolo. To practise the latter, a useful fingering is: thumb - middle - fourth - index (p, m, a, i); this exercises non-adjacent fingers whilst normal fingering: thumb - fourth - middle - index (p, a, m, i) requires an already well balanced hand.

10) Study in D major: slurs.
See also Study no. 4.
This study highlights the problem

hat. Man erreicht auf diese Weise eine größere Präzision und mehr klangliche Intensität.

5.) Studie über Intervalle. Tonart G-Dur.
Es empfiehlt sich, diese Studie aufzuschieben und sie unter die letzten des Heftes einzureihen. Einige schnelle Lagenwechsel erfordern Gewandtheit, Präzision und gute Spannweite, die erst später erworben werden.
Man suche die Bewegungen der linken Hand genau zu überprüfen und sie auf ein Mindestmaß zurückzuführen.

6.) Melodische Studie. Tonart C-Dur.
Die Oberstimme wirkt auf den ersten Blick sehr mager und ist auch nur scheinbar eine Kantilene. So oft man dieses Gebilde aber wiederholt, wird es gut sein, die ausdrucksvolle Führung der Bässe intensiv zu « binden » und dabei den Ausgleich mit den hohen Noten zu bewahren, die den Zusammenklang vervollständigen und bestimmen.
Die zweite Formulierung bildet dagegen einen Kontrast zur vorhergehenden, indem sich die Gesangslinie in der Oberstimme entwickelt und der Baß die Begleitung übernimmt.

7.) Studie über Ligaturen. Tonart E-Dur.
Siehe oben Studie Nr. 4.)

8.) Studie über Tonleitern und über gebundene Töne. Tonart A-Dur.
Diese leicht aufzufassende Studie erfordert einigen Fleiß, um eine gute Geläufigkeit der Phrasen bei den Lagenwechseln zu erreichen.

9.) Studie über Tremolo und Arpeggio. Tonart a-Moll.
Dieses Stück ist musikalisch besonders interessant und verdient auswendig gelernt zu werden. Man achte darauf, die gesangvolle Führung der Bässe sorgfältig zu gestalten und das Tremolo klar skandiert auszuführen. Ein guter Fingersatz für das Tremolo ist p, m, a, i. Folgt man dieser Angabe, so beschäftigt man voneinander entfernte Finger, während für den normalen Fingersatz p, a, m, i eine schon sehr ausgeglichene Hand erforderlich ist.

10.) Studie über Ligaturen. Tonart D-Dur.
Siehe oben Studie Nr. 4.)
Diese Studie behandelt das Problem der Bindung von Triolenfolgen, wie sie manchmal vorkommen. Die Aus-

gature di intere terzine disposte a volta. L'esecuzione della terzina ritmicamente esatta nella proporzione delle tre note che la compongono, richiede uno studio a volte apposito, scandendo con il metronomo ogni nota, prima di passare ad un unico accento, in battere di ogni terzina.

11) Studio sulle note smorzate, tonalità re minore.

Lo studio richiede una certa attenzione affinché l'esecuzione risulti chiara e corretta. Il discorso è caratterizzato da una proposta, immediatamente seguita da una risposta che si innesta nella prima, grazie al valore dell'ultima nota che serve da ponte fra una figurazione e l'altra. È molto importante che si osservi rigorosamente il valore di ogni nota, riappoggiando il pollice sui bassi al momento giusto; per la parte acuta a volte sarà sufficiente smorzare togliendo semplicemente le pressioni della mano sinistra, a volte riappoggiando l'anulare appositamente per smorzare (mano destra), altre volte eseguire 'appoggiando' le note che seguono.

12) Studio sull'arpeggio, tonalità re maggiore.

Due diteggiature interessanti per questo studio: p, a, m, i/p, m, i, p. La prima abitua a suonare p e i sulla stessa corda e la seconda, più consueta, a ribattere con il pollice. Questa seconda diteggiatura, se trattata con accortezza e precisione, può dare buoni risultati, specie se si appoggia la prima volta e non si appoggia la seconda (cioè se si appoggia soltanto l'inizio di ogni quartina).

Alcuni passaggi richiedono una diversa diteggiatura che è però di facile intuizione.

Si è voluto inserire qualche portamento di posizione, non tanto nell'interesse della realizzazione musicale-interpretativa, quanto per iniziare a trattare il problema dei movimenti del braccio sinistro e per abituare a vedere sempre nuove soluzioni tecniche ai problemi che si presentano.

13) Esercizio sull'arpeggio e sulle

of slurred triplets on single beats. The rhythmically exact execution of the three notes that make up a triplet demands special practice, timing each note with a metronome, before the ability is acquired of stressing the first note of each triplet.

11) *Study in D minor: damped notes.*

Careful attention is required in order to play this study clearly and accurately. The musical argument proceeds by statement and response, the latter grafted onto the former by means of an extended last note which serves as a bridge between them. It is most important to observe strictly the value of each note, replacing the thumb on the bass strings at precisely the right moment. In the upper part it will at times be sufficient to damp by simply reducing the pressure of the left hand, at others, by reapplying the fourth finger of the right hand at the appropriate moment, and sometimes by touching the notes which follow.

12) *Study in D major: arpeggios. There are two fingerings of special value to this piece: thumb - fourth - middle - index (p, a, m, i); and thumb - middle - index - thumb (p, m, i, p). The first trains the thumb and index fingers to play on the same string; the second more conventionally re-uses the thumb. This latter method, if carried out with skill and precision, can give excellent results, especially if the thumb note is damped the first time but not on the repeat (i.e. if only the first note of each arpeggio is damped). Some passages may require different fingering, but they are easy enough for the student to work out for himself.*

It is desirable to introduce some changes of position, not so much for musical or interpretative reasons, as for tackling the problem of left arm movement, and also to accustom the student to be constantly on the lookout for fresh solutions to the techni-

führung der Triole in einem rhythmisch exakten Verhältnis ihrer drei Noten zueinander erfordert bisweilen ein spezielles Studium, wobei jede Note mit dem Metronom zu skandieren ist, ehe man zu einem einzigen Akzent auf der ersten Note jeder Triole übergeht.

11.) Studie über gedämpfte Töne. Tonart d-Moll.

Diese Studie verlangt eine besondere Aufmerksamkeit, damit die Ausführung klar und einwandfrei gelingt. Der musikalische Verlauf ist charakterisiert durch einen Vordersatz, dem sich unmittelbar die Antwort anschließt. Diese fügt sich in den ersteren ein dank der Bedeutung von dessen letzter Note, die als Brücke von einer Figuration zur nächsten dient. Sehr wichtig ist die strenge Beachtung des Wertes jeder Note, wobei wiederum im richtigen Moment der Daumen auf die Bässe aufzulegen ist. Bei der Oberstimme wird es zur Abdämpfung bisweilen genügen, das Aufdrücken der linken Hand einfach wegzunehmen, dann wieder, den Ringfinger (der rechten Hand) eigens zum Abdämpfen aufzulegen, ein anderes Mal, die folgenden Noten « mit Stütze » auszuführen.

12.) Studie über das Arpeggio. Tonart D- Dur.

Für diese Studie sind zweierlei Fingersätze interessant: p, a, m, i und p, m, i, p. Der erstere dient gewöhnlich dazu, *p* und *i* auf derselben Saite zu spielen, und der andere, üblichere, um mit dem Daumen wieder anzuschlagen. Wenn dieser zweite Fingersatz verständig und präzis ausgeführt wird, kann er gute Resultate erzielen, besonders wenn man das erste Mal stützt und das zweite Mal nicht, (d.h. wenn man nur am Anfang jeder Quartole stützt).

Einige Passagen erfordern einen unterschiedlichen Fingersatz, was jedoch leicht zu erkennen ist.

Wenn mit Absicht gelegentlich das Hinüberziehen von Lagen eingefügt wurde, dann nicht so sehr im Interesse der musikalisch-interpretierenden Wiedergabe, als vielmehr, um die Behandlung des Problems der Bewegungen des linken Armes in Angriff zu nehmen, und um den Blick zu schärfen für immer neue technische Lösungen sich bietender Probleme.

13.) Übung für das Arpeggio und für wiederholte Noten. Tonart A- Dur.

note ribattute, tonalità la maggiore. Vedi precedente studio n. 2).

14) Studio sulle scale, tonalità re maggiore.

Si approfitti del tempo relativamente moderato di questo studio, per farne uno studio di sincronizzazione dei movimenti di entrambe le mani. La mano sinistra dovrà percuotere le corde come se dovesse eseguire delle note legate: si cerchi di cogliere il volume sonoro realizzato da questa percussione, magari a volte non suonando con la mano destra, quindi si faccia coincidere un suono di egual volume prodotto dalla mano destra, cioè un suono relativamente debole.

Questa abitudine porta in breve tempo a traguardi insperati di vera rilassatezza durante l'esecuzione, di suono più armonico, potente e naturale.

15) Studio sull'arpeggio, tonalità do maggiore.

Si presti attenzione alla diteggiatura indicata, che è la più naturale e la si confronti poi con la seguente: p, i, a, i, m, i, a, i; si noterà come la seconda, pur non dando immediatamente i risultati della prima, mantenga più facilmente la mano rilassata e la sua corretta posizione.

16) Studio melodico, tonalità fa maggiore.

Si appoggi l'anulare in modo da evidenziare la parte cantabile superiore, senza cambiare il timbro delle note che non possono venire appoggiate (parte d'accompagnamento).
Il pollice può rimanere spesso appoggiato ad una corda dei bassi (5a o 6a).

17) Studio sugli intervalli, tonalità la minore.

Questo studio può essere affiancato al n. 5) che si era consigliato di differire. Si era detto di analizzare i movimenti della mano sinistra per ridurli al minimo indispensabile; si consiglia ora di mantenere completamente immobile la mano sinistra rispetto all'asse della tastiera e parallela allo stesso durante i cambi di posizione.

18) Studio sui cambiamenti di posizione, tonalità la maggiore.

cal problems that meets.

13) Exercise in A major: arpeggios and repeated notes.
See Study no. 2.

14) Study in D major: scales.
The student should take advantage of the comparatively slow tempo of this study and treat it as an exercise in the synchronisation of the movements of both hands. The left hand should strike the strings as if the notes were to be played legato, remembering the volume of sound produced by each note even when the right hand is not playing, and then matching the volume of sound in the right hand, that is to say a relatively weak sound. This practice leads in a very short time to a surprising degree of real relaxation while playing, and to a more agreeable tone quality, strong yet unforced.

15) Study in C major: arpeggios.
Let attention be paid to the fingering given, which is the most natural, and afterwards one may try the following: thumb - index - fourth - index - middle - index - fourth - index (p. i, a, i, m, i, a, i); it will be seen that the second fingering, though taking longer to perfect, facilitates the relaxation and correct position of the hand.

16) Study in F major: melody.
The fourth finger should be used for damping so as to bring out the melody in the upper part, without changing the timbre of the notes in the accompaniment which cannot be damped. The thumb can often be left damping one of the lower strings (5th or 6th).

17) Study in A minor: intervals.
This may be studied in conjunction with no. 5, which the student was advised to leave until later, except for an analysis of the movements of the left hand in order to reduce them to a minimum. It is now recommended that the left hand be held absolutely steady relative to the axis of the fingerboard, and parallel to it during changes of position.

18) Study in A major: changing

Siehe oben Studie Nr. 2.)

14.) Studie über Tonleitern. Tonart D-Dur.
Das relativ gemäßigte Tempo dieser Studie wird von Nutzen sein, um aus ihr eine Studie für die Synchronisierung der Bewegungen beider Hände zu machen.
Die linke Hand soll auf die Saiten aufsetzen, als ob es sich darum handelte, Legatonoten zu spielen. Man versuche, das Klangvolumen zu erreichen, das sich schon durch dieses Aufschlagen ergibt, selbst wenn manchmal die rechte Hand nicht tätig ist. Dann erzeuge man einen damit übereinstimmenden Klang von gleichem Volumen, der mit Hilfe der rechten Hand hervorgebracht wird, also einen relativ schwachen Klang. Dieses Verfahren führt in kurzer Zeit zu unerwarteten Einsichten über die richtige Lockerung während des Spielens und über einen wohlklingenderen, kräftigeren und natürlicheren Ton.

15.) Studie über das Arpeggio. Tonart C-Dur.
Man achte auf den angegebenen Fingersatz, der am natürlichsten ist, und befasse sich danach mit dem folgenden: p, i, a, i, m, i, a, i. Dabei wird man beobachten, wie der zweite Vorschlag, auch wenn er nicht sofort die Ergebnisse des ersten erbringt, viel leichter die Hand gelockert und in richtiger Stellung erhält.

16.) Melodische Studie. Tonart F-Dur.
Der Ringfinger soll gestützt werden, um die gesangvolle Oberstimme deutlich werden zu lassen, ohne daß die Klangfarbe derjenigen Töne sich verändert, die nicht gestützt werden können (Begleitwerk). Der Daumen kann oft auf eine der Baßsaiten (5. oder 6.) gestützt bleiben.

17.) Studie über Intervalle. Tonart a-Moll.
Diese Studie kann neben Nr. 5 gestellt werden, bei der zu einer Aufschiebung geraten wurde. Jene war gedacht, um die Bewegungen der linken Hand zu überprüfen und sie auf ein Mindestmaß zurückzuführen. Jetzt empfiehlt es sich, während des Lagenwechsels die linke Hand völlig unbeweglich im Verhältnis zur Achse des Griffbretts zu halten, und zwar parallel zu dieser.

18.) Studie über Lagenwechsel. Tonart A-Dur.
Die Lagenwechsel sind im allgemei-

I cambiamenti di posizione si analizzano in genere con lo studio delle scale.

Ferma rimanendo l'utilità della pratica delle scale con il metronomo, a volte è bene lasciarlo per analizzare con tranquillità i movimenti del braccio. L'irrigidimento, anche se minimo, impedisce lo sviluppo della velocità; l'irrigidimento è sempre provocato da un brusco arresto sulla posizione raggiunta. Si cerchi di giungere sulla posizione per forza d'inerzia, seguendo cioè una spinta iniziale ben calcolata. Desidero sottolineare questo concetto che è un fondamento per ogni esecutore di strumenti che hanno problemi simili al nostro.

Lo studio n. 18) è una applicazione di questi principi.

19) Studio sull'arpeggio, tonalità mi minore.

Si cerchi di appoggiare il cantabile e di far durare la sonorità delle note lunghe in modo da mantenerne il valore e la cantabilità; un espediente sempre valido è di 'diminuire' l'accompagnamento sotto alle note cantabili di lunga durata.

Si presti attenzione alle indicazioni di pollice appoggiato.

20) Studio sull'arpeggio e sui cambi di posizione, tonalità la maggiore.
È uno studio di bravura e richiede una lenta analisi dei movimenti, aiutata dal continuo uso del metronomo. Gioverà molto l'eventuale studio a memoria.

21) Studio sugli abbellimenti, tonalità la maggiore.
Gli accordi si alternano ai mordenti che dovranno essere studiati con la massima precisione. Si cerchi di stringere un poco il valore dei mordenti, mantenendo rilassata la mano sinistra. Gli accordi contengono spesso nella parte superiore la linea melodica e pertanto la loro esecuzione dovrà tenerne conto.

22) Studio sulle scale e sull'arpeggio, tonalità do maggiore.
Lo studio riassume alcune caratteristiche già esposte precedentemente. Si studino attentamente i crescendi e i diminuendi badando alla loro realizzazione graduale, con i segni indicati.

positions.
The study of scales leads naturally to an analysis of hand positions. When practising scales, the use of a metronome is invaluable but should occasionally be dispensed with so the movement of the arm can be analysed in isolation. Even minimal stiffening impedes the development of speed and is invariably caused by an abrupt halt in any position. It is better to trust to inertia to maintain a position, provided the initial impetus was achieved by a well calculated movement. I wish to emphasize this concept because it is fundamental to all instrumental playing where similar problems are met. This study is a good illustration of the principles involved.

19) Study in E minor: arpeggios.
The student should stress the melody and maintain the sonority of the long notes by holding them for their full value; it is always permissible to subdue the accompaniment below long cantabile notes. Indications for damping by the thumb are especially important here.

20) Study in A major: arpeggios and changes of position.
This is a bravura piece which requires thorough analysis of movement, aided by a continual use of the metronome. Learning the piece by heart will help greatly.

21) Study in A major: ornamentation.
The chords alternate with mordents which should be studied with maximum precision. The mordents themselves should be somewhat compressed while keeping the left hand well relaxed. The chords in the upper part frequently contain the melodic line and this must be brought out in the playing.

22) Study in C major: scales and arpeggios.
This is a résumé of certain problems previously illustrated. Careful attention should be given to making crescendos and diminuendos, where

nen beim Studium der Tonleitern zu behandeln.

Unbeschadet der Nützlichkeit der Verwendung des Metronoms beim Üben von Tonleitern ist es manchmal gut, darauf zu verzichten, um in Ruhe die Bewegungen des Armes zu überprüfen. Eine Versteifung, mag sie noch so gering sein, behindert die Entfaltung der Geläufigkeit. Versteifung vird immer hervorgerufen durch ein gewaltsames Festhalten an einer erreichten Handstellung. Man versuche, die Position ohne Anstrengung zu erreichen, indem man nämlich einem wohlberechneten Anfangsschub folgt. Ich möchte diesen Gedanken besonders betonen, da er allen Spielern des Instrumentes, die ähnliche Probleme haben wie dieses, eine feste Grundlage bietet. Die Studie Nr. 18 stellt eine Anwendung dieser Prinzipien dar.

19.) Studie über das Arpeggio. Tonart e-Moll.
Man bemühe sich, die Kantilene zu stützen und den Klang der Töne lange andauern zu lassen, sodaß der Notenwert wie der Gesangscharakter voll erhalten bleibt. Ein stets wirksames Hilfsmittel besteht darin, die Begleitung gegenüber den langen Tönen der Melodie zurücktreten zu lassen.
Genau zu beachten sind die Angaben über die Stützung des Daumens.

20.) Studie über das Arpeggio und über Lagenwechsel. Tonart A-Dur.
Dies ist eine Studie im virtuosen Stil, die eine eingehende Prüfung der Tempi erfordert, wobei der ständige Gebrauch des Metronoms hilfreich sein kann. Sehr zu empfehlen ist ein eventuelles auswendiges Studium.

21.) Studie über Verzierungen. Tonart A-Dur.
Die Akkorde haben abwechselnd Mordente, die mit größter Genauigkeit zu studieren sind. Man versuche, die Dauer der Mordente etwas zusammenzudrängen, wobei die linke Hand in lockerer Haltung bleibt. Die Akkorde bilden oft mit ihrer Oberstimme die melodische Linie, was bei der Ausführung zu berücksichtigen ist.

22.) Studie über Tonleitern und über das Arpeggio. Tonart C-Dur.
Diese Studie faßt einige charakteristische Probleme zusammen, die schon früher behandelt worden sind. Aufmerksames Studium erfordern die crescendi und diminuendi, wobei

23) Studio melodico sugli accenti di espressione, tonalità la maggiore.
Vedi precedenti studi n. 13), n. 18) e n. 22).

24) Studio melodico, tonalità mi maggiore.
Si badi a non dare a questo studio accenti di 'marcetta', naturalissimi se eseguito in modo un poco veloce e un poco distratto.
Si curi lo stacco del tempo 'animato'.

25) Studio sull'arpeggio e sui cambiamenti di posizione, tonalità la maggiore.
Vedi precedente studio n. 20).
Lo studio è piacevole e ben congegnato: richiede però una buona applicazione per essere eseguito correttamente.
Si approfitti dei passaggi difficili per farne uno studio approfondito e di analisi della mano destra e sinistra separatamente.
Si consiglia di imparare lo studio a memoria e sorvegliare con lo sguardo prima la sola mano sinistra, poi la sola mano destra.

indicated, gradually.

23) Study in A major: melody and dynamics.
See Studies nos. 13, 18 and 22.

24) Study in E major: melody.
The player should take care to avoid over-accentuation, which can easily result from playing the piece at speed and with insufficient attention. The 'animato' section should be well contrasted.

25) Study in A major: arpeggios and changes of position.
See Study no. 20.
This is a charming and well-constructed piece, which nevertheless requires a good deal of concentration for correct playing. The student should make a careful study of the difficult passages and should analyse the movements of each hand separately.
It is advisable to learn the study by heart and to observe first the left hand on its own, then the right hand on its own.

auf die stufenweise Ausführung zu achten ist, wie es die Bezeichnung angibt.

23.) Melodische Studie über Ausdrucksakzente. Tonart A-Dur.
Siehe oben die Studien Nr. 13, Nr. 18 und Nr. 22.

24.) Melodische Studie. Tonart E-Dur.
Man achte darauf, die Akzente in dieser Studie nicht « marschartig » auszuführen. Sie wirken am natürlichsten, wenn sie etwas geschwind und flüchtig gebracht werden.
Sorgsam ist der Gegensatz des Tempo beim « animato » zu beachten.

25.) Studie über das Arpeggio und über Lagenwechsel. Tonart A-Dur.
Siehe oben die Studie Nr. 20.
Diese Studie ist ansprechend und wohldurchdacht. Trotzdem bedarf es zu ihrer korrekten Ausführung eines gehörigen Fleißes. Man nutze die schwierigen Passagen zu einem gründlichen Studium und überprüfe rechte und linke Hand einzeln.
Es ist ratsam, diese Studie auswendig zu lernen und mit dem Blick zuerst die linke Hand allein, dann die rechte, ebenfalls allein, zu überwachen.

Matteo Carcassi
25 STUDI MELODICI E PROGRESSIVI Op.60
PER CHITARRA
Revisione e diteggiatura di GUIDO MARGARIA

Nelle pubbliche esecuzioni è obbligatorio inserire nei programmi il nome del revisore

M. ♪ = 120 – 144 – 160
♩ = 92 – 100 – 120

Allegro

★) Nel testo originale: fa♯.
★★) fa♮.

★) *In the original text: F sharp.*
★★) *F.*

★) Im Originaltext: Fis.
★★) f.

6

8

10

M. ♪ = 100 – 120 – 144
♩ = 80 – 100 – 120

Allegro

9

E.R. 2735

12

13

E.R. 2735

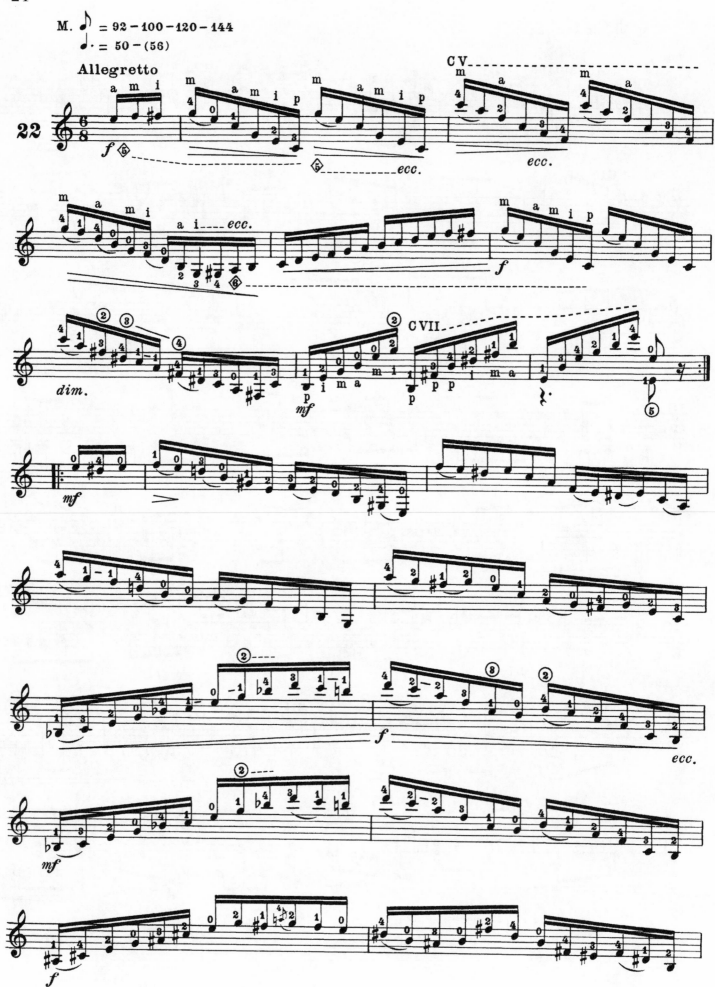

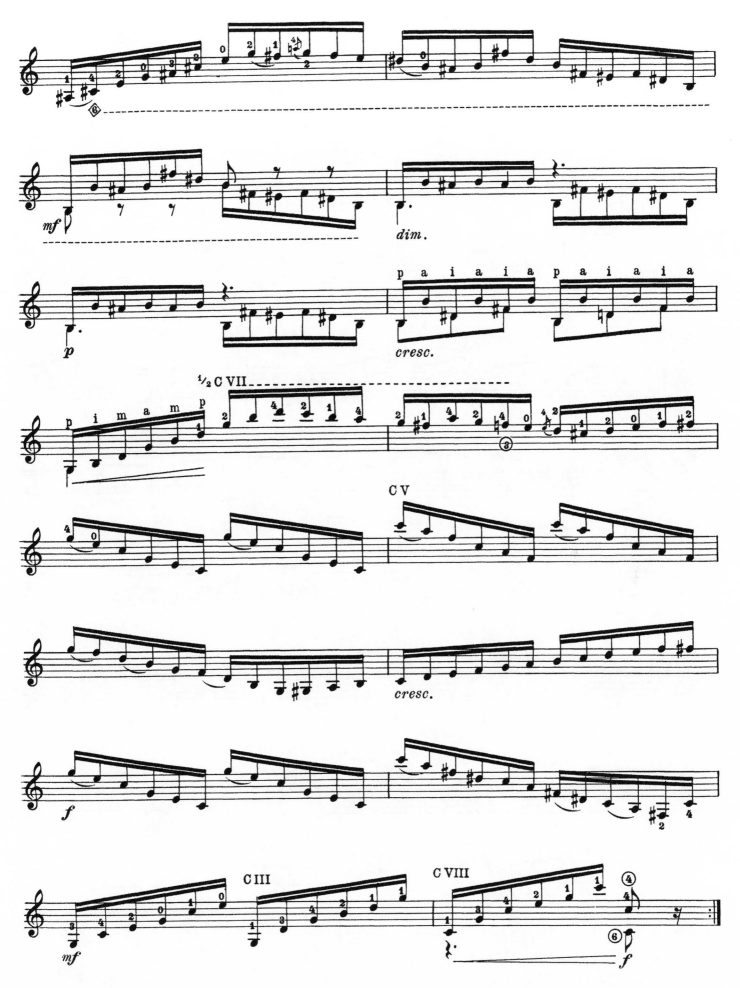

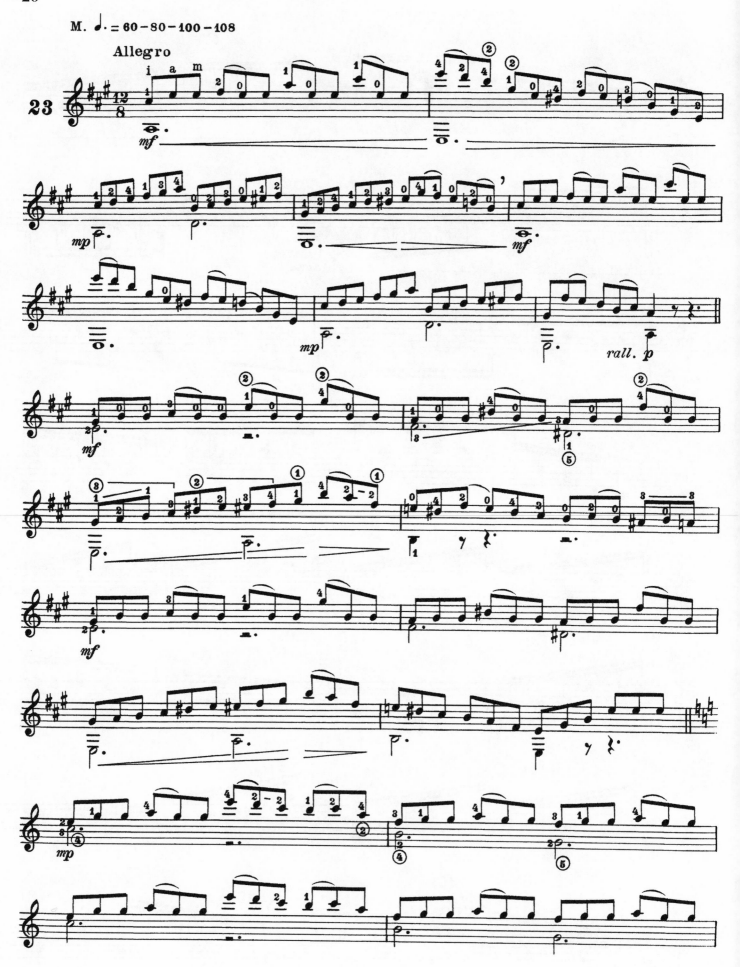

MUSICHE FACILI PER CHITARRA

AUTORI VARI
Pezzi celebri. Trascrizioni facili *(Marazza)*
132331
40 Pezzi facili di autori classici in prima posizione *(Cavazzoli)*
132662
Tre chitarristi del Barocco italiano: Corbetta, Pellegrini, Roncalli *(Tonazzi)*
132199

ALBÉNIZ
Albéniz per la mia chitarra. Trascrizioni facili *(Garcia Velasco)*
132683

AZPIAZU
Il piccolo chitarrista. Lezioni piacevoli anche per coloro che non conoscono la musica
129779

BACH J. S.
Bach per la mia chitarra *(Garcia Velasco)*
132592

BESARD
Scelta di brani scritti per il liuto *(Margaria)*
– Fasc. I (Facile)
132055
– Fasc. II (Media difficoltà)
132056

CAVAZZOLI
Amica chitarra. 15 Pezzi facili in prima posizione
132419
Capotasto. 15 Pezzi facili
132903
La prima posizione. 15 Pezzi facili
132160
Sul cantino. 15 Pezzi facili
132532

CIAIKOVSKI
Ciaikovski per la mia chitarra *(Garcia Velasco)*
133106

DE LISA
In vacanza. Pezzi facilissimi in ordine progressivo
132130

DEGNI
Brevi melodie per piccole mani. Fasc. I
132053

GRANATA
3 Tempi in forma di suite *(Dell'Ara)*
132234

HAYDN
Haydn per la mia chitarra *(Garcia Velasco)*
132940

MARGOLA
8 Pezzi facili *(Cabassi)*
132070

NEUSIDLER - LE ROY
Arie e danze del Rinascimento (trascr. in notazione moderna) *(Tonazzi)*
– Fasc. I (facile)
131989
– Fasc. II (media difficoltà)
131990

PRATESI
Arie e danze nuove per giovani chitarristi *(Minella)*
131980
Ballatelle per chitarra sola oppure flauto dolce e chitarra
132226

RAMEAU
Rameau per la mia chitarra *(Garcia Velasco)*
133036

SCARLATTI
Scarlatti per la mia chitarra *(Cavazzoli)*
133053

SCHUBERT
Schubert per la mia chitarra *(Dell'Ara)*
132698

SCHUMANN
Schumann per la mia chitarra *(Cavazzoli)*
132792

TONAZZI
I primi passi del duo chitarristico. Antologia di pezzi facili
– Fasc. I (facilissimo)
132201
– Fasc. II (facile)
132202

VIVALDI
Vivaldi per la mia chitarra *(Dell'Ara)*
132821